好想去旅行

·西班牙·

[波兰] 莫妮卡·比恩-康尼格斯曼 著
[波兰] 玛利亚·德科 绘
黄珊 译

中信出版集团 | 北京

献给　维萝妮卡

欢迎来到西班牙

几千年来，西班牙一直有着“兔子之乡”的美称。早在古罗马时期，作家老普林尼和老加图就已经开始这样称呼西班牙地区了。在今天西班牙的货币上，还保留着兔子的图案。有历史学家考证，“西班牙”这一名字来源于腓尼基语“y-span-ya”，也就是“金属熔化之地”的意思。腓尼基人认为，这里潜藏着黄金矿脉，西班牙因此而得名。不过，老普林尼和老加图的话也并非无稽之谈，欧洲野兔就是起源于西班牙，今天仍在这里大量出没。

当然，除了野兔之外，这里从很早开始就有人类定居了。5000 年前，伊比利亚人曾生活在欧洲的西南角，关于他们的生活情况我们所知不多，但今天西班牙、葡萄牙、直布罗陀与安道尔所在的伊比利亚半岛，就是用他们的名字命名的。

后来，这片土地又陆续被古老的腓尼基人、古希腊人、古罗马人、西哥特人和摩尔人占领，占领时间有长有短，长的可达好几百年。

公元 711 年，摩尔人从北非经直布罗陀海峡迁徙而来。欧洲人一直试图将他们赶回地中海对岸去，却直到 800 年后才成功。摩尔人在伊比利亚半岛留下了大量遗迹，只需来到西班牙南部的安达卢西亚，就可以欣赏到童话王国般的摩尔式城堡和宫殿。安达卢西亚风味的美食中也融入了摩尔人的饮食特点。

15 世纪，阿拉贡王子（后来的国王斐迪南二世）与卡斯提尔女王伊萨伯拉一世结婚，两个王国从此合二为一。就这样，统一的西班牙王国形成了。在接下来的时间里，这个新的王国又不断征服其他土地，最终成为超级帝国。19 世纪初期，在法兰西第一帝国皇帝拿破仑一世的出兵干预下，西班牙陷入混乱。从 20 世纪 30 年代末开始，国家政权被独裁者佛朗哥把持。直到 1975 年佛朗哥去世，西班牙才结束独裁统治。今天的西班牙是一个君主立宪制国家，也就是说，它的国家元首是国王，而行政权力则由议会、首相和大臣们执掌。

西班牙全国划分为17个自治区，各地都享有较高的自治权。西班牙人说起自己的祖国，往往会使用复数：las Españas，就好像有“好多”个西班牙似的。

这大概是因为西班牙本身就非常丰富多彩吧！试想一下，一个钟头之前，你还在白雪皑皑的内华达山脉滑雪；到山下开车不过一个钟头，就可以来到地中海岸边，一个猛子扎进温暖的海水中……

心动了吗？一起开启我们的西班牙之旅吧！

大
西
洋
葡萄牙
29
圣地亚哥—德孔波斯特拉
毕尔巴
26
拉里奥
萨拉曼卡
24
塞哥维亚
23
22
阿维拉
19
马德
托莱多
18
21
卡斯蒂利亚—拉曼查
13 科尔多瓦
17
哈恩
12 塞维利亚
内华
9
8
格拉纳达
多尼亚纳国家公园
15
16
赫雷斯—德拉弗龙特拉
10
龙达
14
加的斯
11
直布罗陀
（英占）

法国
安道尔
27
多诺斯蒂亚
塞瓦斯蒂安)
1 比利牛斯山脉
25 萨拉戈萨
2 巴塞罗那
3 蒙塞拉特山
4 塔拉戈纳
西班牙
20 昆卡
5 巴伦西亚
30 帕尔马
6 阿利坎特
7 阿尔梅里亚
地中海
首都：马德里
面积：506 000 平方千米
人口：4 674 万
通用语言：西班牙语

1. 

比利牛斯山脉——西班牙与法国的天然国界，最高峰阿内托峰海拔 3 404 米。

2. 

巴塞罗那——加泰罗尼亚自治区首府，著名的圣家堂就坐落在这里。教堂的建造已经持续了 100 多年，预计将于 2026 年完工。

3. 

蒙塞拉特山——巴塞罗那西部约 40 千米的一座山，在这里的圣母教堂能够看到著名的黑面圣母马利亚塑像。

4. 

塔拉戈纳——古罗马时期最美丽的城市，至今仍保留着很多当时的遗迹，比如以“魔鬼之桥”为名的地上引水渠。

6

5. 

巴伦西亚——这里诞生了西班牙特色菜肴之一的西班牙肉菜饭，还盛产柑橘。

6. 

阿利坎特——这里的圣胡安沙滩被认为是西班牙最动人的风景线。

7. 

阿尔梅里亚——这座城市附近的沙漠曾是意式西部片的取景地。

8. 

格拉纳达——坐落在这里的阿尔罕布拉宫，是世界上最壮丽的宫殿之一。

9. 

内华达山脉——滑雪爱好者心目中的圣地，西班牙境内最高峰穆拉森山海拔 3 478 米。

10. 

龙达——这座小城被一条峡谷一分为二，峡谷两端由一座古老的大桥相连。这里有西班牙最早的斗牛场。

11. 

直布罗陀——英国在欧洲南部的一块海外领地。直布罗陀海峡将欧洲与非洲两块大陆分隔开来，隔海相望的两座大山被古代居民称作海格力斯之柱。

12. 

塞维利亚——安达卢西亚自治区的首府，西班牙国王最钟情的地方，也曾是宗教法庭的所在地。这里的圣母主教座堂是全世界最高的哥特式教堂。从这个城市里还走出了唐璜与卡门。

13. 

科尔多瓦——举世闻名的圣母升天主教座堂就坐落在这里，它既是清真寺，又是基督教教堂。

14. 

加的斯——西班牙最古老的城市，建于公元前 11 世纪。

15. 

多尼亚纳国家公园——这里的湿地自然保护区里栖息着许多珍贵的鸟儿，其中尤以火烈鸟最为珍贵。

16. 

赫雷斯 - 德拉弗龙特拉——雪利酒的故乡。

17. 

哈恩——这个位于安达卢西亚地区的省是著名的橄榄王国，那里生长着 6 000 多万株油橄榄树。

18. 

托莱多——西班牙曾经的古都，盛产顶级的美味杏仁膏。有人说，如果在西班牙只能停留一天的话，那么就去托莱多吧！

19.  **马德里**——西班牙的首都，也是欧洲各国海拔最高的首都。这里有三大艺术博物馆：普拉多国家博物馆、索菲亚王后国家艺术中心博物馆和提森－伯尔内米萨博物馆。

20.  **昆卡**——这座城市位于峡谷上方的一个狭窄的岩石高地上，有着惊险的布局结构。在这里可以看到中世纪的建筑奇观——空中悬屋。

21.  **卡斯蒂利亚－拉曼查**——与风车大战的骑士堂吉诃德就是从这里开启了旅程。

22.  **阿维拉**——这座城市被令人赞叹不已的中世纪古城墙围绕着，有 88 座塔哨和 9 座城门。

23.  **塞哥维亚**——这里古老的引水渠是古罗马人在伊比利亚半岛留下的最美丽的遗迹之一。

24.  **萨拉曼卡**——这里有西班牙最古老的高等学府，它也是世界上历史最悠久的大学之一，创建于 13 世纪初期。

25.  **萨拉戈萨**——这里因波兰民族学家扬·波托茨基的小说《萨拉戈萨手稿》而声名鹊起。

26.  **拉里奥哈**——这里的山坡上遍布葡萄园，用这里的葡萄酿出的酒被称为“拉里奥哈葡萄酒”。

27.  **多诺斯蒂亚（圣塞瓦斯蒂安）**——一年一度的国际电影节已经举办了几十年。同样有名的还有这里的美食。

28.  **毕尔巴鄂**——这里的古根海姆博物馆是一幢造型奇特的银色的大楼，后面有一座高 13 米、由 7 万多朵花和盆栽修剪而成的大狗雕塑。

29.  **圣地亚哥 - 德孔波斯特拉**——基督教徒们相信，这里长眠着基督十二门徒中的圣雅各。从中世纪开始，这座城市就是宗教中心和朝圣之地。

30.  **帕尔马**——马略卡岛的主要城市，也是西班牙巴利阿里自治区的首府。

目录

灿烂千阳

西班牙王国位于欧洲大陆的西南角，与非洲隔海相望。它西面与葡萄牙相邻，东北部是法国与安道尔（以比利牛斯山脉为界），南面则是直布罗陀（一个隶属于英国的小型城市）和摩洛哥（位于狭窄的直布罗陀海峡对岸的非洲国家）。

在欧洲，西班牙是一个很大的国家，国土面积位列欧洲第五。全国划分为 17 个自治区，自治区以下又划分出 50 个省。大多数自治区都曾经是一个个独立的小国家，其中最著名的有：盛产橄榄油、柑橘和棉花的安达卢西亚，首府为巴塞罗那的加泰罗尼亚，以及以美食著称的巴斯克。

人们都说，西班牙从不下雨，一年之中有 300 天阳光普照，实际上并不全然如此。在西班牙北部，下雨还是很频繁的，因此那里的气候温和而湿润；而南部就的确总是温暖而晴朗了——一年中的大多数时候都可以在这里尽情享受日光浴。夏天时，由于酷热，孩子们会在下午 1 点之前放学，等到太阳落山、暑气散去之后，再回到学校接着上课。

差不多整个西班牙都处在大海的包围之中。东南方向是地中海，北部、西部、南部的部分地区则濒临大西洋。将西班牙与非洲大陆分隔开来的是直布罗陀海峡，这条海峡还担当着连通大西洋与地中海的重任。

除了海洋，西班牙还有山脉。山地占据了整个西班牙约三分之一的国土面积，其中最著名的当数将法国与伊比利亚半岛分隔开的比利牛斯山脉。南部有巴埃蒂卡山和众多滑雪者心目中的圣地——内华达山脉。

西班牙不仅仅占据着欧洲大陆的一角，同时还拥有众多岛屿：大西洋中的加那利群岛，地中海中的巴利阿里群岛和许多无人岛，以及非洲海岸边的梅利利亚和休达。

我们都说西班牙语

我们已经知道，在伊比利亚半岛上曾生活着不同的民族，因此，今天的西班牙文化十分多姿多彩，就连语言也是丰富多样的。这里一共有四种官方语言并存：在整个西班牙通用的语言是西班牙语（又称卡斯蒂利亚语）；在加里西亚地区，人们主要说加里西亚语；在加泰罗尼亚，人们说加泰罗尼亚语；而在巴斯克地区，人们则说巴斯克语。

那么实际生活中又是怎样的情况呢？加泰罗尼亚地区的居民既懂得西班牙语，也会说加泰罗尼亚语，这里的电视和电台节目大多使用自己的语言加泰罗尼亚语，书籍也多用这一语言，而官方文书和道路旁的指示牌则会同时使用两种语言。

加泰罗尼亚语与西班牙语十分相近，然而在北部的巴斯克地区，加泰罗尼亚人可能就会遇上麻烦：因为他们很难理解巴斯克语。在巴斯克语中，就连地名有时都与西班牙语和加泰罗

¡BUENOS DIAS! 早上好!
¡HOLA! 你好!
¡BUENOS DIAS!
早上好!

尼亚语大相径庭。巴斯克语十分神秘，没人知道它起源于哪里，研究人员也一直对此一筹莫展。有趣的是，在巴斯克语里没有任何脏话。

西班牙语里有很多词来自阿拉伯语，这是使用阿拉伯语的摩尔人留下的痕迹。这些词可以通过前缀“al-”辨识出来，比方说：alcazaba（要塞）、almendra（杏仁）、alfombra（地毯）等等。

如果你想像个真正的西班牙人那样说话，那么在学习语言之前，你可得先好好学学怎么使用你的双手。下面列举了几个在西班牙最常见的手势：

· 想要表示强调？捏起拇指与食指，把手掌从脸部向胸部移动。

· 想要表示食物非常美味？亲吻自己捏在一起的拇指与食指。

· 被别人的傲慢激怒了？用手拍着自己的脸颊说：“¡Que morro!”意为“你脸皮真厚 / 真不知羞”。

· 如果你实在是受够了某人，可以对他做个割脖子的动作：将食指水平移过脖子前面。

· 提醒别人擦亮眼睛，不要被骗了？用食指轻轻点点眼睛。

你知道世界上作为母语使用人数最多的语言是哪一种吗？是汉语。而西班牙语则排名第二，大约有 6.5 亿人使用，他们主要分布在南美和北美，当然还有西班牙本土。另外还有约 1 亿人把西班牙语作为第二语言。

你知道吗？西班牙人不仅会在句尾加上感叹号和问号，在句首也会加：出现在句首时，这些符号就要上下颠个个儿！比如：¡hola!（你好）。

狂欢西班牙

每年2月，在西班牙城市加的斯都会举办盛大的狂欢节。成千上万身着彩色服饰的人拥上街头，载歌载舞，尽情玩乐，这样的活动会持续整整十天。

在狂欢节的最后一天——基督教的纪念日圣灰星期三，还将举行神圣的沙丁鱼的葬礼。这是因为在不久之后开始的四旬节期间，大西洋沿岸的居民们将会大量食用这种鱼。为了感谢沙丁鱼的牺牲，游行队伍会抬着纸糊的巨大沙丁鱼穿过城市，然后在人们的欢呼声中将它烧成灰烬。

紧接着狂欢节到来的是圣周，即复活节前的一周七天。复活节前那一周，西班牙大小城市的街道上挤满了游行队伍，最著名的当数塞维利亚的游行。最早的一支队伍从凌晨3点就出发，之后又有其他各支队伍陆续加入，游行时间长达好几个小时。在烛火的辉映下，参加游行的人们抬着各式各样装饰华

美的圣像[1]。每一个圣像都重达好几百千克，有些甚至超过一吨重。人群中格外引人注意的是一些穿着长袍、戴着尖帽的男子——他们是拿撒勒会的祭司，正在为罪行忏悔。

3 月，在瓦伦西亚会举办火祭节，又称“法雅节”。当地居民在节日当天，会将一个月前精心准备的巨型人偶——“法雅”付之一炬，并举行盛大的烟火表演，届时整座城市都笼罩在烟花爆竹的爆炸声与烟雾之中。不过，这个节日实在不适合那些听觉过分敏锐的人！

圣周过后，塞维利亚又迎来一场歌舞喧腾、色彩碰撞的狂欢——四月节。女士们换上镶着褶边的长裙，先生们则换上最优雅的西装。整个城市跳起弗拉门戈舞。骑手们骑着高头大马，拉着马车的安达卢西亚马同样高大威武——这可是一场马背上的游行呢。

5 月，科尔多瓦会迎来花团锦簇的庭院节。人们用无数朵鲜花装点自家的庭院，还会评选出装扮得最美丽的庭院。

---

① 圣像，指《圣经》中人物的画像等。——译者注

时间来到 7 月，这时的西班牙已经十分炎热。来自潘普洛纳的西班牙人在这时组织起传统的奔牛节。勇敢的冒险者们尝试与凶猛的斗牛在狭窄的街道中竞相追逐。注意啦！这是一项非常非常危险的运动，曾有很多人因此而受伤。

以上，仅仅是西班牙节日的冰山一角——我们这才数到7月，一年才过了一半多点儿！在西班牙，差不多每天都有庆祝的机会呢！

要吃早餐先排队

大多数西班牙男人的周末的早晨都是相似的。早上 9 点到 11 点，他们在早点摊前排着长长的队伍，买一包用纸包着的“西班牙油条”——吉事果，再飞奔回家。

为什么要跑回家？因为吉事果要趁热吃口感才最好，家人可都在等着呢。不一会儿，所有人都坐到餐桌前，给新鲜出锅的吉事果浇上热巧克力或者就着咖啡吃。

吉事果是一种细长的点心，横切面呈星形。它用小麦粉、油和糖做成，在油锅里炸熟。这是西班牙最流行的早餐食物之一，也会出现在新年聚会的最后。这并不奇怪，因为吉事果的摊点总是大街上开门最早的，甚至早上 5 点就已经开门迎客。

吉事果不仅是西班牙人的最爱，葡萄牙人也吃它，在墨西哥、菲律宾和美国也能见到它的身影。很难判断这种食物起源于何处。有人说，它来自中国；也有人说，这是阿拉伯人留下的；甚至还有人认为它是西班牙的牧羊人发明的。它的西班牙语发音听起来就像是热油锅中发出的嗞嗞声。不管怎样，有一点可以肯定，那就是吉事果真的非常美味。

西班牙的其他早点还有香脆微咸的烤面包，放上西红柿片，抹上橄榄油。烤面包的做法在书后面“美食小菜谱”部分可以找到。

西班牙的圣诞节

在西班牙，圣诞节是个非常盛大的节日。从 12 月 24 日的平安夜，到 1 月 8 日都算是在过圣诞节。平安夜那一天，圣诞晚餐开始得很晚，一般是晚上 9 点钟左右。西班牙人会装饰大街上的树木（比如棕榈树），可是家中却不准备圣诞树。

1 月 4 日，西班牙的街头会出现信使，预示着黑脸国王、白脸国王和黄脸国王这三位东方国王即将到来。第二天晚上，全城人都拥到街头，参加三王节游行。在管弦乐队的伴奏声中，三位国王与他们的扈从们乘着骆驼和马车而来，向人群抛糖果。

圣诞彩票是西班牙圣诞节的重要元素。早在圣诞之前一个月，彩票摊前就排起了长长的队伍。投注的成本不算低，所以通常全家会一起买上一注。西班牙人亲切地称呼自己的彩票为 EL Gordo，意为“大胖子”，大概是因为奖金金额真的非常巨大吧。彩票在 12 月 22 日开奖，由孩子们转出幸运数字，然后在电视机镜头前唱出。

每年 12 月初，每个加泰罗尼亚人家中都会早早准备上一块中空的木头，用作“圣诞树桩”。它的形象叫人想起一只微笑的狗，或者长了四条木腿的驼鹿。人们在木头上盖上毯子，每天还“喂”它糖果和玩具。在圣诞晚餐上，孩子们唱着歌儿拍打树桩，直到它肚子里所有的礼物全都掉出来。

1 月 6 日的清晨，孩子们终于在鞋子里找到了礼物——如果他们没忘记给东方三王的骆驼准备谷子的话。这一天，所有人家的餐桌上都会出现“国王的惊叫”（又叫“葡式国王蛋糕”），这是一种填满“惊喜”的蛋糕，造型很像甜甜圈。谁要是在自己的那一块蛋糕里吃到了小塑像，就会被戴上国王或者王后的王冠。

新年快乐！

当——当——当——午夜的钟声响起来，旧的一年即将过去，新的一年马上开始。在世界很多地方，人们燃放绚丽的烟火，开怀畅饮，纵情狂欢，彼此分享着新年的祝福与祈愿。

而在西班牙呢？这里却是一片紧张的寂静。所有人都单脚站立，全神贯注地一颗接一颗吞着葡萄。必须抓紧时间啊！每一记钟声过后都必须吞下一颗葡萄，接着，还必须用右脚迈出新年的第一步。等做完这些，才可以开始举杯畅饮。吃下的 12 颗葡萄，象征着来年的 12 个月万事如意。

这可是项艰难的任务呢！毕竟葡萄那么大，很容易哽在喉咙里。为了人们都能顺利平安地吞下葡萄，马德里市政广场上的钟在那天总会走得慢一些。正因如此，西班牙的新年，总是比别的欧洲国家来得迟那么一小会儿。

新年快乐！
新年快乐！

西班牙的新年有许多新奇好玩的风俗。比如热衷旅游的人吃完葡萄之后，都会抓起行李箱，绕着自己的房子跑上一圈；还有的人会在新年这天晚上随身带一张飞机票或者火车票，祈求来年有大把机会出门游玩。渴望财富的人会在新年夜里往鞋子中塞硬币，第二天还要穿着它走上一整天。寻找爱情的人要在12月的最后一天，在每个房间里各摆上3个绿柠檬，并在1月1日下午把它们收集起来。

如果希望新的一年顺遂如意，就要在这一年的最后半个小时煮上7根肉桂，并提前关好窗户，打开所有的灯，确保屋子里每个角落都飘着香味、没有阴影。这样，新的一年就可以免受一切邪恶和谎言的侵扰。为了万无一失，最好提前在屋子里放一桶水，因为有些人相信水可以吸收恶灵，午夜之后把水倒进马桶，就会把所有不幸随水一起冲走。

是不是等到元旦的早上就可以喘口气了？还早得很呢！一大早醒来，就要马上抛鞋子。如果鞋底着地，那么很好，新的一年将会收获成功；侧面着地——马马虎虎吧；要是鞋底儿朝天落在地上，那可预示着会有不幸到来。为了破除霉运，需要吃点儿加了扁豆的菜肴，因为扁豆是富足的象征。西班牙餐馆的新年菜单上，几乎每道菜都至少加了一勺煮扁豆——以防万一嘛！

哥伦布与西红柿

西红柿先生顺杆儿爬，对着园丁姑娘笑哈哈。
“西红柿先生啊，您怎么能这样呢？！”

——扬·布热赫娃

你读过这首小诗吗？在我们的生活中，大概再没有比西红柿更常见的蔬菜了吧，不过从前可不是这样的，我们得感谢西班牙人把西红柿带到了欧洲大陆。和西红柿一起到来的，还有土豆、辣椒、豌豆、玉米、椰子、咖啡和糖……

在西班牙小城布尼奥尔，每年都会举办西红柿大战！广场上竖起一根长杆，顶上挂着一片火腿，人们要先爬上去拿到它。这可没有想象的那么轻松，因为杆子上抹着肥皂，十分滑溜。等到有人终于成功了，就会响起一声炮，标志着游戏正式开始。这场互相投掷西红柿的“混战”将持续一个小时之久。

15 世纪，意大利人克里斯托弗·哥伦布想要开辟一条通往印度的新航路。他说服了西班牙国王和王后赞助他的航行，但却没有抵达印度，而是发现到了一片不知名的大陆。这片土地后来被命名为“美洲”。

西红柿正是从美洲来到欧洲的。当地的阿兹特克人吃这种漂亮的红色果实，并把它称作 xitomatl（西红柿的西班牙语名字 tomate 和英文名字 tomato 就是这样来的）。到底是谁第一个将西红柿从美洲带到欧洲已经无从考证，不过有人坚称，正是哥伦布做出了这一伟大的贡献。

一开始，欧洲人以为西红柿是有毒的，只把西红柿植株当作装饰性植物。直到 1692 年，西红柿才跻身食材行列，不

第一次西红柿大战发生于 1945 年。在当地节日期间，人们发生了口角。后来，口角升级，人们开始拿摆在商店门口纸箱里的西红柿往对方身上扔。直到警察赶来，才把混战的人们分开。没想到第二年又发生了冲突，第三年还是如此……尽管起初当地政府反对这样“带有打斗性质的游戏”，西红柿大战最终还是成了布尼奥尔的官方节日和盛会。直到今天，每年仍有数千人来到这里参加大战。有先见之明的居民在大战之前就遮蔽好房屋，以免它被“战火”波及。最后消防员出动冲刷清洗街道上的西红柿酱。

过不是在西班牙，而是在今天的意大利。这是一份西红柿酱汁食谱，是西红柿成为食材的物证，被称作“那不勒斯秘方”。

今天的西班牙人酷爱西红柿。小小的西红柿，可以用来做凉菜汤，调制肉丸酱汁，捣碎后拿来抹面包（这里用到的是小小的青西红柿），拌沙拉，做馅料……甚至做果酱！

童话王国

西班牙南部的安达卢西亚，是西班牙乃至整个欧洲最特殊、最有异域风情的地方，仿佛《一千零一夜》故事里的王国。公元 8 世纪从北非摩洛哥迁徙到伊比利亚半岛的摩尔人赋予了它独特的风情，留下了美丽的宫殿、古堡、清真寺和花园。

摩尔人最杰出的建筑之一是位于格拉纳达的阿尔罕布拉宫。宫墙上贴着精心烧制的手工阿兹勒赫瓷砖画，雕刻着类似花纹的浮雕，高高的穹顶由细细的柱子支撑起来。宫殿周围种满了奇花异草，散发出醉人的幽香，隐约还能听见喷泉的水声。

安达卢西亚地区另一个重要的城市是马拉加，这里是演员安东尼奥·班德拉斯与西班牙国宝级画家巴勃罗·毕加索的故乡。马拉加的山坡上屹立着摩尔人的城堡：阿尔卡萨瓦

城堡。在摩尔人时期，阿尔卡萨瓦城堡与位置更高的希布拉尔法罗城堡一起，构成了全西班牙最强大的军事要塞。

安达卢西亚最重要的城市，当数在《星球大战》中出过镜的塞维利亚。这里的西班牙广场，在片中以纳布星球首都的形象出现，是抵挡克隆人进攻的地方。

塞维利亚还以盛产柑橘而闻名（甚至被载入了吉尼斯世界纪录），这里生长着 35 000 多棵橘子树。春天，整个城市洋溢着柑橘花迷人的芬芳。然而柑橘的果实却是苦涩的，不能直接食用。西班牙人用它们提炼香水，制作果酱和甜酒。苦橘的香味还具有抗抑郁的特性，能够改善情绪。

瓜达尔基维尔河从塞维利亚城中穿流而过，流入大西洋。这是一条神奇的河流，名字来源于阿拉伯语，意为“大河”。这不是没有道理的——瓜达尔基维尔河全长 650 多千米，正是这条河，当初将新大陆的财富源源不断地通过轮船运达塞维利亚。

苍蝇，别过来！

在西班牙，许多酒吧和餐馆提供塔帕斯。塔帕斯是什么？简单来说，就是西班牙的“下酒菜”。不过它的意义又不限于此——塔帕斯还代表一种生活方式。西班牙人喜欢跟朋友一起下馆子，吃饭聊天，纵情欢笑。要知道，塔帕斯最重要的原料就是快乐。

那么塔帕斯又是如何来的呢？一个说法是，20 世纪初，国王阿方索八世巡视西班牙南部地区，有一天，又累又饿的国王在路边停下来，决定在路边人家喝一杯。当时正刮着风，女主人为了不让脏东西吹进酒杯里，就在端给国王的酒杯上盖了一片火腿（塔帕斯的西班牙语 tapas 正是来源于单词 tapa，意为“遮盖物”）。国王很惊讶，但显然这个主意很对他的胃口。于是在上第二杯的时候，他请女主人仍然盖上一片美味的火腿。看到国王这样做，随从们也都有样学样。再后来，全国人都效仿起来，也就不奇怪了。

另一个说法是，塔帕斯的出现是由于苍蝇和蚊子。西班牙人在酒杯上盖上盘子避免蚊虫苍蝇飞入，“顺便”在盘子里摆上各种零食小菜——面包、橄榄、奶酪与火腿等。

在酒吧里，人们常常站着喝酒，吃着塔帕斯。这是因为比起坐着，站着能够与更多人说话，而交朋友正是人们来小酒馆吃塔帕斯的最主要目的。

在巴斯克地区，取代塔帕斯出现的是另一种小食，西班牙人叫它 pintxos：是一种用牙签将一小片面包、奶酪、鱼、火腿、辣椒等食材串成串的“一口”小食。

在酒吧里，如果看见地上一片狼藉，到处是废纸、牙签和橄榄核，可不要大惊小怪。这说明这家店的食物非常好吃。打扫之类的琐事可以等会儿再做，快快端上塔帕斯来吃吧！

西班牙最著名的塔帕斯有：

硬质山羊奶酪口味（**queso manchego**）

拌了橄榄油和调料的凤尾鱼片口味（**anchois**）

辣火腿口味（**chorizo**）

小小的肉丸或奶酪丸子口味（**croquetas**）

橄榄口味（**aceitunas**）

熏干的火腿口味（**jamón serrano**）

1 + 1 ≠ 2

1881 年，在西班牙小城马拉加，巴勃罗·毕加索出生了。他是 20 世纪最著名的艺术家之一，兼具画家、雕塑家、版画家和陶艺家等多重身份。

毕加索的全名是巴勃罗·迭戈·何塞·弗朗西斯科·狄·保拉·胡安·尼波穆切诺·玛丽亚·狄·洛斯·雷梅迪奥斯·西普里亚诺·狄·拉·圣蒂西马·特立尼达·鲁伊斯·毕加索。我可没有开玩笑！西班牙人通常有两个姓，一个继承自妈妈，一个继承自爸爸。“毕加索”是画家母亲的姓，“鲁伊斯”则是父亲的姓。剩下的一长串都是画家的名字，来自多位圣人和亲戚，以表达对他们的敬意。

毕加索从小就喜欢画画。据说，小时候他开口说的第一个词是“piz”，在西班牙语里意为“铅笔”。很快，还是个孩子的毕加索展现出了惊人的天分，13 岁就被巴塞罗那的隆哈美术学校录取。

毕加索是一位富有实验精神的画家，不断变化自己的艺术风格，寻求艺术上的新突破。他的早期作品主色调是蓝色，这一创作阶段被称为“蓝色时期”，常显出阴郁的感觉。之后进入“粉红色时期”，色调变得温暖、明朗。

1907年，毕加索创作了最著名的作品之一——《亚威农少女》。画作展现了一组造型十分怪异的女子，线条原始而抽象。这幅画掀起了一场真正的革命，因为还从来没有人用这样的手法作画。《亚威农少女》由此成为艺术史上一种新的流派——立体派——的开端。立体派的画作总给人这样一种印象，仿佛它们是由一些几何图形（锥体、立方体、球体等）莫名其妙、毫无秩序地堆叠而成的。

1948年，毕加索赴波兰参加世界知识分子保卫和平大会，其间在华沙拜访了自己的朋友——海莲娜与西蒙·希德库斯夫妇。希德库斯夫妇向他展示了他们设计的住宅小区。小区已经快要完工了，正在进行最后的收尾工作。在一间空房的墙上，毕加索欣然挥笔，留下了一条两米多高的拿着锤子的美人鱼。不久之后，第一任房客搬进了房子。“你们有幸与伟大的艺术相伴，因此有责任保护好墙上的画作。”然而，与艺术同居的日子实在令人难以忍受——每时每刻都有人前来欣赏。最终，不堪其扰的住户请求将这幅壁画涂抹掉了……

之后，毕加索又投入了超现实主义的创作，即将画家思考和梦想的事物展现出来——有时这也是非常怪诞的。毕加索在拼贴画艺术上也卓有成就。你知道这是什么吗？就是用报纸上的片段、纸屑、壁纸、线头等拼出来的画。毕加索的拼贴画《藤椅上的静物》就是这种艺术形式下的一大杰作。

奇怪吗？事实上的确如此。画家本人也曾说过：“在你们弄明白，艺术中 1 加 1 可以等于除了 2 之外的任何一个数字之前，你们不会懂得什么是艺术。”

欧洲的尽头

你知道吗？西班牙的南端与英国只隔了一箭之地。没错，就是这样。位于伊比利亚半岛最南端的直布罗陀，属于英国。

进入直布罗陀，需要跨过边界线，横穿过境道路——同时又充当飞机跑道。当飞机降落或者起飞时，需要降下边境道路两边的栏杆，汽车与行人都要停下来等待。直到飞机升空或者安全降落之后，边界才会重新开放，人们才能继续通过。

直布罗陀是一个非常小的城市，面积仅6.5平方千米。绝大部分地区是石灰岩山地，被称作直布罗陀岩峰。这里是欧洲唯一一种野生猴子“直布罗陀猕猴”的栖息地。它们不知从何地迁徙而来，在这个小地方已经生活好多个世纪了。要是你去了直布罗陀，可得当心点儿这些捣蛋鬼。它们会猛地扑到人们面前，抢走人们的食物、相机和背包。传说，一

旦猴子从这里消失，直布罗陀就不再属于英国。英国政府一定是因为这个才对这些猴子格外重视吧。

在直布罗陀海峡(沟通大西洋与地中海的狭窄通道)对岸，一座高山与直布罗陀岩峰隔海相望。在古代，直布罗陀岩峰与它的非洲邻居被称作“海格力斯之柱”。海格力斯是希腊神话中的神祇之一，以力量与勇敢著称。古希腊人认为，是他将地中海与大西洋连通了起来，而且为了纪念自己的功绩，他在自己开辟的海峡两岸都竖起了山峰。

塞维利亚的诱惑

你知道唐璜是谁吗？这个词专门用来指那些风流倜傥，但又不太负责任的男人，在文学作品中多被用作情圣的代名词。

“唐璜”的形象来自西班牙流传广泛的民间传说。在传说中，唐璜生活在16世纪的塞维利亚，是一个英俊潇洒的贵族青年。据说有一次，他与一个朋友打赌，看谁在一年之内能俘获更多姑娘的芳心。当然，他毫无悬念地赢了。但唐璜还不满足，竟然试图让修女爱上自己。终于，被触怒的上帝用雷电劈死了他，并将他的灵魂直接送入地狱。

唐璜的传说激发了许多创作者的灵感。这个安达卢西亚人成了诗歌、戏剧和小说的主角，甚至出现在芭蕾舞剧和歌剧的舞台上。比如英国作家拜伦创作了长篇诗体小说《唐璜》，奥地利音乐家莫扎特以唐璜为原型创作了两幕歌剧，法国剧作家莫里哀创作过五幕喜剧。

很多创作者在故事的原始版本基础上进行修改和再创作，让这个风流浪子最终找到了真爱，并与心上人共度余生。在今天的塞维利亚，我们仍能看到唐璜纪念碑。

手舞足蹈

在西班牙，处处是音乐。无论是酒吧的侍应生，还是小店的售货员，人们总是哼着歌儿。学校的喇叭在课间播着音乐，假日里当然更少不了各具特色的歌曲和舞蹈。

最著名的西班牙舞蹈诞生于各种音乐的大熔炉——安达卢西亚，最早由罗姆人（吉卜赛人）发明，名为弗拉门戈。弗拉门戈甚至超出了舞蹈的范畴，发展出一套完整的文化，包括音乐、歌曲、舞蹈、服装等。这些元素充满活力而绚丽多彩。弗拉门戈是从心中流泻出的舞步。

西班牙大诗人费德里科·加西亚·洛尔迦曾说：“它深过世上所有的海与井，它的舞步几乎永远不会停驻。它来自第一声叹息和第一个吻。”

想象这样一幅画面：女舞者的长裙镶着飞扬的褶边，两个男子身穿白衬衣和黑裤子，打着黑领带。女舞者有力地舞动着，高高的鞋跟顿地，手中拿着扇子，背后扬起纱巾，鬓角上别着一朵娇艳的玫瑰。两个男子一个弹着吉他，一个放声歌唱，女舞者随着歌声起舞。

弗拉门戈的重要组成部分是节拍韵律。舞者和着拍子跺脚，歌者则拍手、打响指，或者拍打木鼓打起响板（小巧的打击乐器，由用线连起的两片木板组成），口中时不时喊着：“哦嘞！”——这就是弗拉门戈。

很多电影都以弗拉门戈为主题，其中最著名的一部由西班牙导演卡洛斯·索拉拍摄，与卡门的故事有关。影片中出现了帕克·德·路西亚——全世界最有名的弗拉门戈吉他手。

全世界为她歌唱

你听过法国歌剧大师、作曲家乔治·比才的《卡门》吗？这是世界艺术史上最夺目的一颗明珠。

卡门住在塞维利亚，是皇家烟厂的女工。她美丽热情，大胆奔放，对爱情却并不用心。一天，她注意到了年轻军官唐何塞，就送他鲜花，使他不可自拔地陷入爱河。然而很快，卡门厌倦了这个单纯的军官，于是离开他，投入一个著名斗牛士的怀抱。故事的结局令人伤感……

想知道后来发生了什么吗？快去看这部歌剧吧！它不会让你失望的！歌剧《卡门》首演于 1875 年，起初反响平平。直到作曲家去世几年后，它才轰动全世界。

在歌剧第一幕，卡门演唱了《哈巴涅拉》。这是比才作品中最著名的一段咏叹调，你一定在什么地方听过。合唱的第一句歌词是：“爱情是吉卜赛人的孩子。”歌剧的最后一幕发生在斗牛场的入口前。

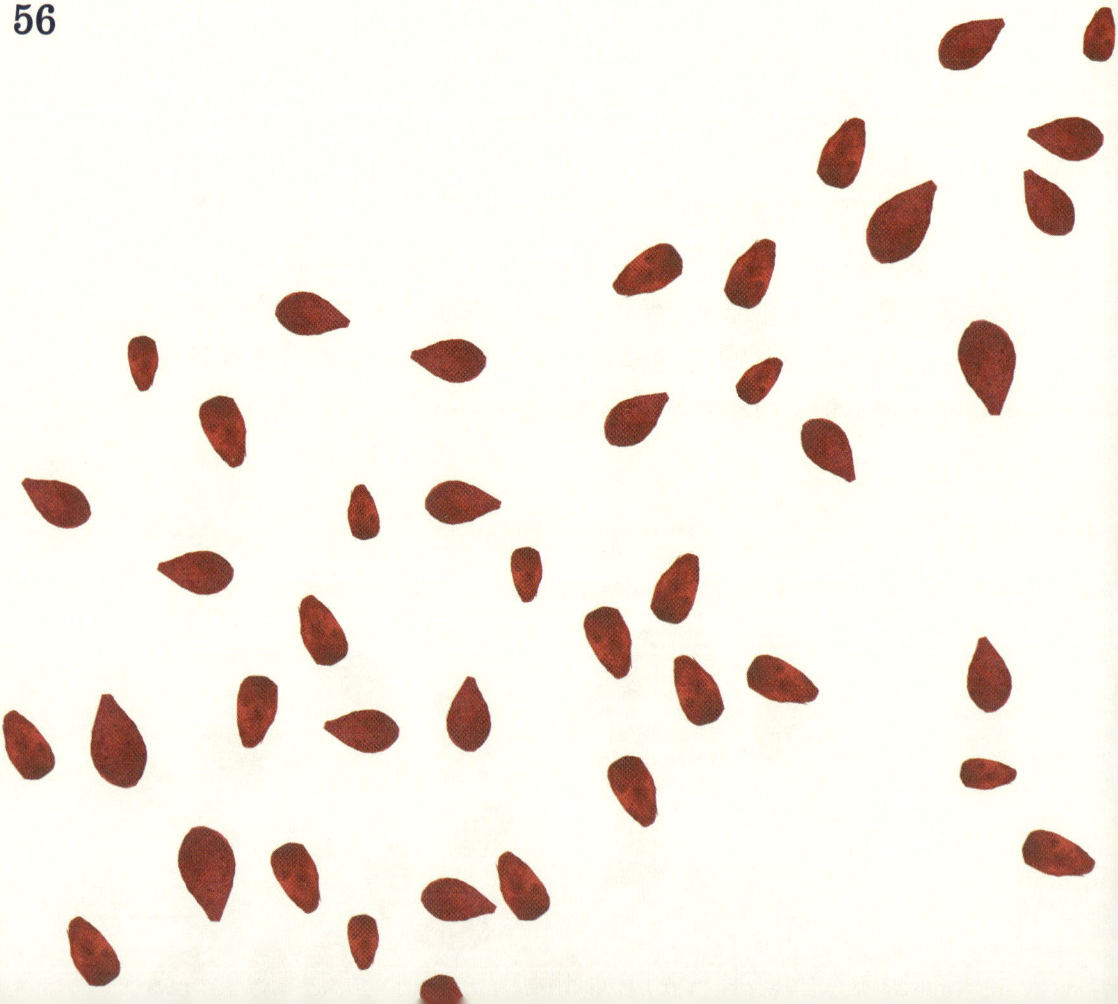

如果有机会去塞维利亚，一定要去河边的卡门纪念碑看看。古老的烟厂会让人想起军事堡垒，它三面环水，只能通过一座小桥进入。不过这并不奇怪，在比才创作《卡门》的时代，烟草是一种昂贵的消耗品。今天，那里坐落着一所大学。

塞维利亚还上演了另一部同样有名的歌剧《塞维利亚的理发师》（焦阿基诺·罗西尼作曲）。这部歌剧讲述了阿尔马维瓦伯爵与天真可爱的罗西娜的故事，两人十分相爱并打算结婚，却遭到罗西娜的监护人巴尔托洛医生的反对。好在，作为一部喜剧，歌剧最终迎来了一个圆满的结局。

斗牛士的红布

当我们说一个人的做法无异于拿红布放到牛的眼前时，就是说他在有意激怒别人。你一定知道这是什么意思，但你知道这是为什么吗?

西班牙最引人瞩目的活动要数斗牛。这是从中世纪起就风靡欧洲的一项娱乐活动。阿拉伯人、古迦太基人或者古罗马人将这项运动带到了伊比利亚半岛。

斗牛在斗牛场中进行。斗牛场是一个铺着沙子的圆形区域，周围环绕着观众席。比赛开始前，斗牛士们先进行仪式感十足的绕场游行，接着号令声响起，第一头斗牛冲进斗牛场。斗牛士身穿缀着彩色亮片的衣服，用红布在斗牛眼前挥舞，试图激怒它们，并灵巧地避开它们的攻击。有些人可能认为，公牛对布的颜色敏感，才容易被激怒。事实上，公牛并不能分辨颜色，只是对布的挥动做出反应。最后，在观众们的欢呼与尖叫声中，斗牛会被斗牛士用剑刺死。

西班牙斗牛是特别为比赛培育的。这种壮硕的动物脾气火暴，头上长着弯曲的长犄角。当它们年满5岁，体重达到半吨时，就可以上场了。

根据传统，如果哪一头公牛在赛场上格外勇猛，就可以得到赦免活下来，不过这种情况实在太罕见了。

斗牛是西班牙的象征之一。在西班牙，很多汽车上都贴着公牛贴纸，路边也随处可见黑色公牛造型的广告牌。几十年前，这些牌子上是雪利酒和白兰地的广告。后来，议会禁止在路边竖立广告牌，但人们已经习惯了这些“牛”的存在，不想将它们拆除。最后，广告和标语被去除，而公牛形广告牌却保留了下来。

很多人反对斗牛继续存在，但同时也有很多人支持。支持者认为，斗牛这项活动与音乐、舞蹈、服饰和激烈奔放的感情相关。美国作家欧内斯特·海明威就是斗牛的忠实拥趸，他的著作《午后之死》，就展现了斗牛的魅力。反对者则强调，这是一种残酷的、毫无人道的杀戮，而越来越多的人表示赞同。如今，在西班牙一些地区（包括加泰罗尼亚），斗牛已经被完全禁止。

西班牙火腿

你听说过意大利帕尔玛火腿吗？西班牙也有类似的美食，这就是西班牙火腿。

西班牙火腿采用传统的方法进行制作。首先将生猪腿用海盐腌制，之后仔细清洗、风干并窖藏。窖藏可持续 6 ~ 9 个月，有时候甚至需要等上一年半之久。

在西班牙，很多酒吧、餐馆里都能看到火腿，它们悬挂在天花板上，或者架在小桌子上。西班牙火腿需要精心烹制，通常被切成很薄的片。切火腿在西班牙是一个专门的职业，甚至还会举办切火腿大赛。

西班牙人十分看重本国的火腿，甚至说“哪怕游览过西班牙所有的名胜古迹，如果没有品尝过火腿，也不能算真正了解西班牙”。火腿在西班牙是十分受欢迎的礼物——节日、生日，或是别的什么纪念日，都可以赠送。你想象过在生日那天收到一大条火腿吗？在西班牙，这可不算什么新鲜事。

阿尔卡萨巴山区的古村特雷韦莱斯是个神奇的村子，据说，那里的火腿之所以风味独特，是因为火腿被施了魔法。

西班牙火腿分为两种，其中顶级的当数伊比利亚火腿。它用生活在西班牙南部山区、以橡果为食的黑猪的肉制成。

意大利面与西部片

意大利面与西部片有什么关系？它们又与西班牙有什么关系？其实，它们之间的联系大着呢！在伊比利亚半岛南部，阳光明媚的安达卢西亚地区，有一片类似美国旧西部地区的沙漠——红褐色的岩石，干涸的河流，阳光炙烤下的草场和仙人掌，还有无限延伸的小路……这番景象被拍进了西部片里，不过，却是意大利人赛尔乔·莱翁内拍摄的。

20 世纪 60 年代，西班牙的沙漠里建起了很多印第安人的村落和牛仔小镇。很快，这里就笼罩在一片马蹄扬起的烟尘和左轮手枪射击后留下的硝烟中。

美国的评论家起初并不欣赏意大利人翻拍的美国西部片，并讥讽它们是“意面西部片”。然而时至今日，好几部这种类型的电影已经被证明是电影史上的杰作。赛尔乔·莱翁内展现了一个与美国西部片中完全不一样的旧西部，更加黑暗和复杂，模糊了善与恶的界限。

现在的西班牙沙漠里已经不再拍摄西部片了，那些建筑也都成了旅游景点。如果你有机会去安达卢西亚，一定要去塔维尔纳斯的酒馆尝尝牛仔午餐，再去博物馆看看老式的电影拍摄器材！

美国著名演员、导演克林特·伊斯特伍德，就是在西班牙的沙漠里开始了自己的演艺生涯。电影音乐制作人埃尼欧·莫里科内也是从“意面西部片”入的行。在西班牙的沙漠里还拍摄了电影《夺宝奇兵 3：圣战奇兵》。

清真寺里的教堂

清真寺里的教堂？这……怎么可能呢！清真寺是穆斯林礼拜的地方，而教堂里是基督徒呀。

公元8世纪初，摩尔人来到伊比利亚半岛。他们来自非洲，占据范围几乎包括了今天的整个西班牙。摩尔人将这片土地称为安达卢斯，科尔多瓦是安达卢斯最早的首府。同一时期，巴黎与伦敦居民还生活在木头房子里，忍饥挨饿，饱受病痛折磨；科尔多瓦却已建成了世界上最大的大学，拥有70多座图书馆，300多家公共浴场，家家户户居住在引入了流动水源的石头房子内。公元10世纪，安达卢斯已成为世界上最强大的帝国之一。

摩尔人信奉伊斯兰教，因此在这里兴建了许多清真寺，其中最大的一座始建于 8 世纪末。阿卜杜·拉赫曼一世从基督教徒手里买下科尔多瓦的教堂圣殿，并将其改建为大清真寺——今天，这里已经重新属于天主教徒。在接下来的 200 多年里，科尔多瓦的历任统治者不断扩建大清真寺，最终它有 4 个足球场那么大。

此时，基督教徒开始逐渐收复伊比利亚半岛。13 世纪，他们终于收复科尔多瓦。基督教徒进入大清真寺，并准备将它改建为基督教教堂的模样。他们推倒了几百根石柱（原先有 1 300 根之多），砌上了通往橘林的出口，在围墙边修建起小礼拜堂。最终，在 1523 年，他们开始修建新的教堂，不过，却是在清真寺的里面。“你们毁掉了难得的稀世珍宝，却在上面修建起随处可见的寻常之物。”西班牙国王查理一世这样说。

清真寺对于穆斯林来说，不仅仅是一个宗教场所，也是举行集会的地方。除礼拜殿等主要建筑外，通常还包括一大片由回廊围绕起来的方形区域和一个个小祈祷室。

清真寺中都有米哈拉布（殿中装饰华美的、指示圣地麦加朝向的壁龛）以及敏拜尔（伊斯兰教的讲经坛）。标志性的又高又尖的宣礼塔上，有专人每日五次报告时间，好让信众及时礼拜。

城墙上的花纹

在我们的印象里，瓷砖一般铺在卫生间和厨房里。可是在西班牙和葡萄牙，瓷砖可以用在任何地方——墙上、地上、建筑外墙、花园的长椅上和公园的喷泉池子中，从阳台的地面一直到店铺招牌上。

这种瓷砖通常刻着蓝白花纹，用它拼贴出的画在西班牙语中被称为阿兹勒赫瓷砖画，是几百年前从非洲传入伊比利亚半岛的。

15—16 世纪，安达卢西亚是瓷砖画的主要生产地。起初，它们的花纹都是几何图形，后来出现了各种动植物。最终，瓷砖上更多地展现出人们的日常生活场景。在大航海时代，各种轮船和帆船的形象也出现在瓷砖上。

“阿兹勒赫”这个有些古怪的名字是从何而来的呢？人们现在也不清楚。有人认为，它来自阿拉伯语，意为“小而光滑的石头”。另一些人则认为，它应该来源于西班牙语和葡萄牙语中的“蓝色”一词。

很久以前，瓷砖都是手工制作的，颜料取自钴蓝石。除了深浅不一的蓝色之外，瓷砖上不时也会出现其他颜色。绿色来自铜，褐色和棕色来自锰矿石，黄色则来自铁。

阿兹勒赫瓷砖画直到今天仍激发着全世界建筑师的灵感，蓝白的花纹常常出现在服装、家居用品、珠宝和家具上。

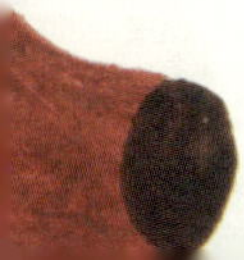

消暑的凉菜汤

西班牙凉菜汤是一道用蔬菜做成的凉汤。关于它的由来，说法不一。其中一个说法是，凉菜汤早在古罗马皇帝哈德良统治时期，就已出现于驻扎在西班牙南部的士兵们的菜谱上，给酷暑中的士兵带去清凉。

在安达卢西亚的葡萄园和橄榄园里工作的村民们也很爱喝凉菜汤。他们将面包浸在碗中的水里，加入蔬菜、橄榄油、蒜和盐，再进行搅拌或将它们捣碎。

发现美洲新大陆之后，西红柿漂洋过海来到西班牙，凉菜汤摇身一变成了红色——这就是今天我们喝到的西班牙凉菜汤。它十分美味，如果你感兴趣，在后面的“美食小菜谱”部分，可以找到菜谱。

西班牙凉菜汤的重要原料是橄榄油。你知道吗？西班牙是全世界最大的橄榄油生产国，这里生长着多达 230 种油橄榄树。最大的油橄榄种植基地在西班牙南部的哈恩省，那里足足有 6 000 万株油橄榄树，其中树龄特别长的甚至被视为国宝。

跳舞的马儿

什么？马儿也会跳舞？！为什么不会呢，毕竟这里是西班牙，这里人人都会跳舞。安达卢西亚皇家马术学校坐落于赫雷斯，这所学校正是因安达卢西亚马的舞步表演而蜚声国内外。精彩表演一般持续两个钟头，想象一下吧：金色的马鞍，动感的音乐；骑手身着优雅的制服，骏马欢快地舞蹈……

安达卢西亚马是世界上最美丽的马种之一，其历史可以追溯到 16 世纪。当时的国王菲利普二世希望能够培育出血统纯正的西班牙马，于是出资在科尔多瓦成立了皇家马场。他们选育马匹的标准是头部小巧，颈部曲度优雅，臀部浑圆，尾鬃厚重，鬃毛茂密。最终他们成功了。

现在，只有最美丽的安达卢西亚马才可以被送进赫雷斯的皇家马术学校，那里有现代化的兽医诊所，五个马厩和两个跑马场。这群四条腿的“学生”在学校里很受照顾，100多名工作人员三班倒、全天候照顾着它们。马厩里，扩音设备播放着轻音乐。马儿们几岁大时便开始登台表演，演艺生涯可以持续很久，有些甚至直到20多岁才彻底告别舞台。

在马术学校学习的学生也包括人。除了学习骑术之外，在学校里，他们还需要打扫整理马厩，承担喂养和照料马儿

的责任。很多马术爱好者都向往在这里学习，但这实在是很困难的一件事。学校每年只招收四名最优秀的学员，甚至直到不久之前，外国人才被允许参加入学考试。

赫雷斯－德拉弗龙特拉、圣玛利亚港和桑卢卡尔－德巴拉梅达是西班牙著名的三大葡萄酒生产地。16 世纪末，赫雷斯生产的葡萄酒，一度被认为是世界上最香醇的美酒。

圣玛利亚港和桑卢卡尔－德巴拉梅达虽然没有会跳舞的马，可在历史上也都各自占有一席之地。前者是哥伦布远航前造船的地方，后者则是麦哲伦环球航行的起点。

星期天的肉菜饭

西班牙肉菜饭（Paella），是西班牙最美味、最著名的国菜之一，起源于瓦伦西亚。在加泰罗尼亚语里，“Paella”是指“有两个把手的、又大又深的平底锅”。

根据传统的菜谱，制作西班牙肉菜饭，要先在这个大锅里把配料焯一遍：鸡肉和兔子肉，四季豆、白扁豆、西红柿和蜗牛；然后在焯好的配料中加入藏红花、盐和迷迭香调味，并加入水；最后在锅里放入米饭，把所有东西一起煮。煮好的大杂烩就可以端上桌啦！每个人手里都拿一把勺子，大家一起围着锅吃。

在每家西班牙餐馆里几乎都可以吃到肉菜饭，不过有些地区只在星期天提供。除了传统的做法之外，还有海鲜饭或素食饭等选择。

2001 年，西班牙人煮的一锅肉菜饭载入了吉尼斯世界纪录。煮饭用的锅重达 23 吨，直径长约 21 米。锅中央有个特制的架子，上面站了十个人，用巨大的桨片搅拌锅里的食物。

这一锅饭足足煮了4个小时，消耗了13 000升水、6 000 千克大米、12 000 千克肉、5 000 千克蔬菜、275 千克盐，还有 1 千克的藏红花！

藏红花是西班牙肉菜饭颜色金黄的原因所在，也是世界上最珍贵的调味品。它随着摩尔人一同来到西班牙，是从一种与百合花有亲缘关系的植物中采集下来的，生产一千克这种调料需要几万棵植株，因为每朵花只可采集雌蕊的一小部分。西班牙品质最高的藏红花来自拉曼恰地区。

巴塞罗那大街

你知道西班牙最热门的旅游城市是哪里吗？毫无疑问，是加泰罗尼亚的首府巴塞罗那！那里简直就是天堂——地中海海滨沙滩、文物古迹和美食令人目不暇接。

4 月 23 日，巴塞罗那和整个加泰罗尼亚会同时庆祝三个节日：以加泰罗尼亚守护神命名的圣乔治节、世界读书日和情人节。这一天，男人送女人玫瑰（象征着被圣徒杀死的恶龙的鲜血），女人则回赠以书籍。

巴塞罗那的一大景点，是处在众多特色酒店和餐馆包围之中的拉布兰大道（在西班牙语里意为“长廊”）。拉布兰大道由几条较短的街组成，每一条都有自己的名字。

不管是游客还是当地居民都非常喜欢拉布兰大道，那里的花店、咖啡馆和纪念品商店让人眼花缭乱。街头还有好多表演者和小丑，每天都上演着精彩的表演。一些人模仿着萨尔瓦多·达利画作中的场景，另一些则装扮成堂吉诃德与游客拍照。这里总是这样热闹，这样欢乐……

拉布兰大道旁是波盖利亚市场，这个落成于19世纪的市场是西班牙最大的集市。这里同样从早到晚人来人往，到处色彩缤纷、香气浓郁，异国香料的踪影随处可见，货架上各式商品琳琅满目。这里能买到种类最丰富的点心、海鲜、蔬果和肉类，附近餐馆都到这儿来进货。

从拉布兰大道左转，就会拐进一个狭窄的哥特区。它是这座城市最古老的区域，自中世纪以来就基本不曾改变过模样，甚至还保留着几座罗曼式建筑。

在拉布兰大道的尽头，旧港附近的圆形广场上，屹立着城市里最重要的一尊雕像——哥伦布之柱，这是伊萨伯拉一世与斐迪南二世为欢迎第一次远航胜利归来的大航海家竖起的丰碑。柱子内部有电梯，只需支付一点儿费用，就可以登上柱子顶端，俯瞰美丽的巴塞罗那城。

而在旧港也有惊喜——能看到鲨鱼、鳐鱼和章鱼。这里的水族馆是欧洲最大的水族馆之一。600万升水，20个水池，10 000多种海洋生物，80多米长的透明海底隧道，都是水族馆引人注目的亮点。

波动的屋墙

巴塞罗那有一些奇奇怪怪的建筑：有的呈螺旋形向上，有的扭曲变形，有的覆盖着五颜六色的玻璃片，有的阳台呈波浪形，有的烟囱像个大蘑菇；有的就像建在巨龙的骷髅架里，屋顶呈龙腹的形状；还有的直接建成轮船的模样，栏杆则像大海中漂荡的海草。这就是巴特略之家和米拉之家，由生活在 19—20 世纪的加泰罗尼亚建筑师安东尼奥·高迪设计。

高迪的设计灵感来源于自然界的万物——丛林、树叶和白骨等。他创造的建筑赋予了巴塞罗那独一无二的气质，并成为城市中最重要的景观之一。不过，他的作品曾让很多人不能理解，而他更是被斥为“疯子”。

除了巴塞罗那的房子之外，高迪的作品还有宫殿、修道院、长椅和灯笼。在桂尔公园，有他设计的世界上最长的公园长椅。长椅像蜥蜴一样在公园里蜿蜒，上面贴着用碎瓷砖拼成的彩色瓷砖画。

高迪最重要的作品是一座天主教大教堂——圣家族大教堂（简称“圣家堂”）。高迪将后半生的全部心血投入这座教堂的设计工作中，甚至搬到施工中的教堂去住。因为筹建教堂的资金主要来自个人捐款，高迪几乎投入了自己的全部积蓄。

有趣的是，教堂的建造已经持续了 100 多年，至今也没有正式完工。

高迪的设计风格受西班牙中世纪时期穆德哈尔风格的影响。这种流派将伊斯兰教与基督教的艺术元素相结合，以大量繁复的装饰为特色，但根据伊斯兰教的传统，装饰图案中不会出现人和动物的形象。

燃烧的长颈鹿

在菲格雷斯，有一栋有趣的红色建筑，屋顶上摆着一些巨大的鸡蛋和小金人雕像，外墙上贴着几百片加泰罗尼亚的面包。这栋建筑就是达利戏剧博物馆，收藏有艺术家萨尔瓦多·达利的画作与雕塑作品。达利是加泰罗尼亚最著名的艺术家之一。

在博物馆内，还能找到许多比外墙装饰的鸡蛋、面包更加怪异的作品，比方说《雨中计程车》，这是一辆加长版黑色凯迪拉克汽车，投币之后，就可以看见车内喷水“下雨”的场景。

达利是一位超现实主义艺术家，他作品中的世界仿佛存在于梦境中。比如在其代表作之一——《记忆的永恒》这幅画中，柔软得像面饼一样的钟搭在树枝上。而在另一幅著名的画作《燃烧的长颈鹿》中，主要的人物形象是个形容枯槁的女子，她身上还画着好几个打开的抽屉……

这一点儿也不奇怪，因为达利被认为是个疯狂怪诞的艺术家。他不仅善于创作前所未有的艺术形象，在生活中也总是不修边幅，行为荒诞。他那标志性的两撇翘胡子是世界上最有名的胡子之一，他甚至还有专门的相簿来放置胡子照片！

在距菲格雷斯 40 千米的小镇布波尔，有一座中世纪的古堡，达利将它买下来送给妻子作为生日礼物。古堡的入口处有一匹马在迎接游客，花园里巨大的水泥大象却长着长颈鹿腿般又细又长的四条腿。

达利的妻子名叫加拉，在达利的很多画作中都出现过，有时她肩膀上放着肉排，有时则化身为圣母马利亚。加拉悉心照料着丈夫，也照看着他的艺术事业，敦促他拿起画笔，不要懒惰。她是达利画作的第一鉴赏人，如果没有加拉，达利的名声远不如现在这样响亮。达利说：“只有加拉把我当作天才，而不是疯子。”

菲格雷斯还有一个有趣的地方——玩具博物馆。那里大约有四万件展品，包括达利童年最喜欢的小熊。一同展出的还有达利的朋友、西班牙诗人费德里科·加西亚·洛尔迦写给小熊的信。

巴塞罗那的足球

为什么大街小巷空空荡荡？那些爱唱爱跳、喜欢热闹的西班牙人都去哪儿了？去看看街边的酒吧，是不是挤得连根针都插不进去？没错，现在可是看比赛的时间哪！在西班牙，亲朋好友，男妇老幼，都爱围在一起看电视直播的球赛。西

班牙人最钟爱的运动就是足球了。哪怕不能上场，也要一起看球。

西班牙最大的两支足球队分别来自皇家马德里足球俱乐部（简称“皇马”）和巴塞罗那足球俱乐部（简称“巴萨”）。巴塞罗那足球俱乐部成立于 1899 年，最初一批球员来自西班牙、英国和瑞士。今天，巴萨早已享誉世界，粉丝无数。

如果去巴塞罗那旅游，一定不能错过去巴萨的主场——诺坎普体育场看看。在那里可以参观球员更衣室，还有赛场边的解说席，当然也有纪念品商店与博物馆，陈列着这么多年来球队斩获的奖杯、第一张球员证和名将的球衣。

在欧洲杯和世界杯期间，皇马与巴萨两个俱乐部会团结起来，共同派出球员代表西班牙出征。截至目前，西班牙足球队夺得了三次欧洲杯冠军、一次世界杯冠军。第一次欧洲杯夺冠后，当时的王后索菲亚还亲自到场向他们祝贺。

西班牙的运动当然不止足球一种。在世界范围内影响力最大的西班牙运动员是网球名将拉斐尔·纳达尔。F1 方程式赛车手费尔南多·阿隆索与篮球明星保罗·加索尔也同样大受欢迎。

棒！棒！糖！

你知道珍宝珠棒棒糖吗？这是世界上第一款风靡全球的棒棒糖。你可知道它是一个西班牙人发明的？这个名叫恩里克・伯纳特的西班牙人发现，孩子们吃糖时常常会弄脏手，于是决定在糖上插一根小棍子。这已经是 60 多年前的事了。

伯纳特起初给这种糖取名为小球糖豆，不过很快就改名为"Chups"，它来源于西班牙语中的单词"吮吸"。在它的广告中有这样一句歌词："棒棒糖甜滋滋，吃了还想吃！"（"Chupa un dulce caramelo, chupa, chupa, chupa chups!"）这句歌词与棒棒糖一起变得家喻户晓，于是人们去买糖时都不说要"Chups"，而说要"Chupa Chups"。于是伯纳特又一次给棒棒糖改了名字，就叫"Chupa Chups"。

珍宝珠棒棒糖的商标由西班牙著名画家达利设计，金黄色雏菊般的形象一直沿用至今。珍宝珠棒棒糖很快就畅销全世界，到处都能看见人们嘴里叼着它。甚至 1995 年，俄罗斯的珍宝珠公司还为米尔空间站的航天员们提供了这种棒棒糖。

棒棒糖不是西班牙人唯一一个“带棍子”的发明，另外一样儿是——拖把。以前，人们必须弓着身子擦洗地板，直到1956年，西班牙人曼努埃尔·哈隆·科罗米纳斯在棍子的前端绑上布条，还配上了带有拧搅功能的桶。

洞窟里的野牛

你知道吗？一个西班牙的小姑娘发现了迄今为止最伟大的史前人类遗迹。小姑娘叫玛丽亚，是考古学家马塞利诺・桑斯・德・桑图奥拉的女儿。

19 世纪末，马塞利诺开始探索洞窟。在一次探险中，他带上了玛丽亚。当他们一起进入阿尔塔米拉洞窟时，眼尖的小姑娘一眼扫过洞窟顶部，不禁惊叫了起来："野牛！"

千真万确，在洞窟顶部的石壁上，是一幅巨大的兽群壁画。马塞利诺认为，这也许是史前人类留下的遗迹。起初根本没有人相信他，壁画那样精美，怎么可能是旧石器时代居住在洞窟里的史前人类完成的呢！甚至有人怀疑马塞利诺是个骗子，雇人在洞窟里画了一幅壁画。一直到了 20 世纪，在马塞

利诺去世 14 年后，考古学家才终于确认，这幅壁画是史前遗迹无疑。

壁画中有红褐色线条的野牛、驯鹿、野猪，也有巨大的猛犸。除了这些动物之外，还有男人、女人和小孩的手，以及一些不同的地理图形。史前人类甚至懂得借助岩石的凸起和凹陷作画，动物形象因此更加立体。在手电筒光线的照射下，它们看起来栩栩如生，像是在奔跑跳跃。

不久之前，人们还普遍认为，阿尔塔米拉洞窟中的壁画创作于约 13 000 年前。最新研究显示，壁画最古老的部分很有可能已经有 36 000 年的历史了！

今天，我们已不能参观阿尔塔米拉洞窟的内部，因为禁止游客参观才能够更好地保护壁画。能够进入洞窟的只有科研人员，其他感兴趣的游客可以参观相关的博物馆，那里有洞穴的完整复刻。

巧克力鱼

就在几年前，在西班牙布拉瓦海岸边，世界上最受欢迎的餐厅之一——斗牛犬餐厅还在开门迎客。它只在每年的 4 月到 9 月营业，去那儿吃饭得提前很久预约。每年都有超过 200 万人挤破头想去那里一饱口福，可只有少数幸运儿才有机会坐进餐厅。

人们在这里可以吃到什么呢？这里有炒鸡蛋味的冰激凌，红酒味的意面，熏肉味的巧克力，喷雾装的面条和青豆泡沫，奶酪做的果冻，巧克力味的鱼，装在胶囊里的橄榄……这里的菜品昂贵而精致，分量尤其小。

是不是非常有趣？斗牛犬餐厅提供的食物被称为分子料理，最重要的主厨就是餐厅的主人费兰·阿德里亚。餐厅的厨房看起来更像是一间实验室——一尘不染的不锈钢操作台，怪模怪样的机器，盛着液氮的容器，装着海藻提取物的瓶子，注射器，螺丝刀，榨汁机……

分子料理的烹调过程就好像在做科学实验，每一道菜看起来都是那么的……古怪，不过所有食物都是纯天然和健康的，厨师们坚持只用本地产的新鲜有机食材准备菜肴。

那么，为什么阿德里亚选择在餐厅大受欢迎的时候将它关闭呢？他说：“我们感到，餐厅的菜单开始重复。为了能够研发出更多新的美食，我们需要一些时间来做改变。”

西班牙美食之都是圣塞瓦斯蒂安，那里有三家米其林三星餐厅——这是全世界餐厅能够获得的最高荣誉。

骑士与风车

你听过关于骑士的故事吗？如果听过，那你一定知道，骑士们都是勇士，敢于与邪恶和不公抗争，保护弱小，驯服恶龙……

这也是西班牙拉曼恰贵族青年堂吉诃德从小读到的故事。骑士们英勇的身影在他的脑海中盘踞不去，最终他下定决心要成为他们之中的一员。

每一名骑士都要拥有自己的马、侍从和女恩主。于是堂吉诃德给自己的老马取名“驽骍难得”，又说服附近的农民桑丘·潘沙做侍从，把邻村姑娘想象成他的女恩主，给她取名为“托波索之达辛妮娅”。万事俱备，他便踏上了自己的旅途……很快，他就变得远近闻名了。

今天，大概全世界都很熟悉这位高高瘦瘦的骑士和他又矮又胖的侍从。他们是 16 世纪西班牙小说家塞万提斯小说中的人物。塞万提斯写作这本小说，本意是想嘲讽当时风靡的骑士小说，没想到却意外地成就了一本传世名作。

堂吉诃德对骑士小说是如此走火入魔，以至于将现实生活和幻想中的骑士世界完全杂糅在一起。他把客栈当作城堡，绵羊当作骑士，女佣当作公主。当他看到一架风车时，居然把它看成巨大的怪物，骑着瘦马就向它发起了冲锋……尽管所有人都在嘲笑他，他却始终相信，自己就是一名真正的骑士，必须与邪恶战斗到底！

你听说过“大战风车”吗？这个典故与塞万提斯小说中那个疯疯癫癫的骑士有关。“大战风车”意味着去跟根本不存在的事物做斗争。

16 世纪，伊比利亚半岛发生了大面积的干旱。小溪河流全都干涸了，人们于是修建水力风车来引水。从那时起，西班牙各地修建起了很多风车，其中昆卡、托莱多和雷阿尔塞特的一些风车一直保存到了今天，而被堂吉诃德当作怪物的风车，则可以在今天的坎波－德克里普塔纳镇看到。

辉煌时代的美味

杏仁膏起源于 11 世纪的西班牙城市托莱多。这座由伊比利亚人最早建立的城市曾先后被罗马人、西哥特人和摩尔人统治。托莱多人以对信仰、习俗和思想的宽容而著称，几百年来，犹太人、基督教徒和穆斯林和睦地生活在一起。

三种文化的学者和艺术家在这里可以自由地合作，交换观点与知识。因此，托莱多的艺术与科教发展迅速。也正是得益于托莱多，欧洲人才能够重新认识和解读古希腊的古典著作。这些古代典籍的原本早在东罗马帝国覆灭时就已经失传，却幸运地在阿拉伯语译本中被保存了下来。

除了杏仁膏，西班牙的牛轧糖也很值得尝尝——也是用杏仁和蜂蜜制成的甜点。

然而在 14 世纪，这样的宽容却似乎走到了尽头。犹太人和穆斯林遭到了迫害，被要求改变信仰，他们被驱逐甚至被残忍地杀害。接着，在 16 世纪，首都被迁往马德里，托莱多随之失去了自己的重要地位。

好在从古老的辉煌时代流传下来的还有甜点，其中最著名的就是杏仁膏——杏仁磨碎加糖制成的膏体。关于它的传说有很多，摩尔人是这样说的：我们来到伊比利亚半岛时，发现这里生长着成片的杏树林，于是打算用杏子制成甜点。缺少的只有糖……于是我们又建起了甘蔗园。

托莱多的杏仁膏直到今天仍被认为是世界上最美味的杏仁膏。如果有一天你来到这里，可一定不要忘记去品尝呀！

在托莱多，住着一位西班牙顶尖的画家和雕塑家——埃尔·格列柯。“埃尔·格列柯”（EL Greco）在西班牙文中意为“希腊人”，因为画家本人正是来自希腊的克里特岛。他的真实姓名是多明尼克·狄奥托可普利。

埃尔·格列柯

西班牙的“肚脐”

你听说过“条条大路通罗马”吧？可是来到西班牙，这句话要变成“条条大路通马德里”了。因为在这里，所有的道路都从首都马德里开始。在马德里的太阳门广场上，有“零公里”的标志，表示这里是马德里通往全国公路的起点。这个标志是铺在地上的一块不大的半圆形瓷砖，上面刻着西班牙地图，并用西班牙文写着“零公里，公路起点”。

这块标志也是历史的见证，可以追溯到 18 世纪西班牙境内开始规划公共马车线路的时候。当时的西班牙没有统一规范的道路，于是首先确定了起点，随后开始修建。今天，以太阳门广场的零公里起点为中心，共延伸出 6 条呈放射状分布的公路：往卡斯蒂利亚和莱昂方向的，往阿拉贡和加泰罗尼亚方向的，去瓦伦西亚的，去安达卢西亚的，去埃斯特雷马杜拉和葡萄牙方向的，以及去加里西亚的。

零公里标志被认为是马德里和西班牙的中心，因此它有时被称作“西班牙的肚脐”——尽管有人会说，西班牙真正的中心并不在这儿，而是在太阳门广场上离它有点儿距离的另一块地砖那里。

如果你来到了马德里，并希望有一天能够再故地重游，那么就去零公里标志那儿，站到那块地砖上去，你这个愿望就会实现哟。如果你想要带点儿什么纪念品，可以去马德里的埃尔拉斯罗特跳蚤市场看看，那里可以找到首饰、书籍、衣服、古董、唱片、杂志……可谓应有尽有。

没有着衣的玛哈

画家弗朗西斯科·戈雅生活在 18、19 世纪之交的西班牙。一次，西班牙首相曼努埃尔·戈多伊向他订购了一幅裸女肖像画。这位政治家收藏了许多这种类型的画作，都放在一个秘密的房间里。

为什么呢？因为当时的西班牙是不允许画赤裸的人体的，只有绘制古代神话故事时除外。宗教法庭对此严加管控。这个由教会把持的残酷机构专门负责追踪和镇压那些持有不同观点和信仰的人。

戈雅因此非常危险，因为他并没有画神话中的神明，而是普通的女子。大概正因如此，画家又画了第二幅——一模一样的女子，一模一样的姿势，一模一样的背景，只是女子是穿着衣服的。两幅画通过特殊的机关叠放起来，表面上只能看到穿着衣服的那幅，只要移动机关，不穿衣服的那幅就会显露出来。

几年之后，宗教法庭发现并没收了戈多伊的收藏，并指控戈雅。幸运的是，画家最终逃过一劫。

今天，所有人都可以欣赏到这两幅传世画作——它们就挂在西班牙的普拉多国家博物馆，名为《着衣的玛哈》与《裸体的玛哈》。不过，“玛哈”可不是画中女子的名字，而是西班牙语中“天真少女”的意思。

那么，画家戈雅笔下的女子到底是谁呢？大概只有画家自己才知道吧……

如果你对绘画艺术感兴趣，一定不能错过西班牙的三大艺术博物馆：普拉多国家博物馆、索菲亚王后国家艺术中心博物馆和提森－博内米萨博物馆。收藏的艺术珍品包括毕加索的《格尔尼卡》（索菲亚王后国家艺术中心博物馆）和委拉斯开兹的《宫娥》（普拉多国家博物馆）等。

睡眠大师

几年前，西班牙的报纸上曾刊载了一条有趣的新闻：“首届全国午睡大赛即将在马德里举行！”比赛开始于周四中午12点，裁判负责裁定参赛者的睡眠深度、时长、睡姿和醒来的方式，观众则把冠军颁给鼾声最响亮的人。这场比赛由西班牙午睡协会发起。

午睡，在西班牙是一个流传已久的传统。16世纪，僧侣们就已经把午睡当成日程的一部分。圣本笃修道院的一条戒律提到，晨起之后的第六个钟头是休息的时间，即在中午12点到下午1点之间，修士们需要养足精神，为接下来的半天做准备。这个习惯随后传到了其他修道院，渐渐地，普通人也养成了这一习惯。

在今天的西班牙，午睡时间一般在下午2点到4点之间。在这段时间，几乎所有人都会给自己短暂地放个假，有的人

回家吃饭，顺便睡个午觉，有的人去餐馆大快朵颐，也有人出去散个步。

这与偷懒无关！在伊比利亚半岛，午睡是炎热气候下的必然选择，因为这里的夏天热得让人受不了。而在从前，可是连空调都没有啊……

在盛夏的酷热中，扇子的作用可就大了，西班牙的女士们几乎人手一把。很久以前，扇子曾被用来传递消息，表达约定俗成的含义，比如把扇子举到左耳边意味着“让我静静”，而冲某人合上扇子则表示——“你还爱着我吗？”

西班牙语小词典

hola – 你好

buenos días – 早上好

buenas tardes – 下午好

buenas noches – 晚上好

adiós – 再见

sí – 是的

no – 不

gracias – 谢谢

por favor –请

perdone – 对不起，不好意思

calle – 路，街

ciudad – 城市

estación – 车站

policía – 警察

médico – 医生

hotel – 旅馆

tienda –商店

restaurante –餐馆

desayuno – 早餐

almuerzo – 午餐

cena – 晚餐

delicioso – 美味的

¿Dónde está el baño? – 卫生间在哪里?

¿Como se llamas? –你叫什么名字?

Mi nombre es... – 我叫……

No entiendo. – 我不明白。

¿Cuánto cuesta? –这个多少钱?

¡Besos! – 吻你!

¡Feliz año nuevo! – 新年快乐!

¡Jesús! –祝你健康!（当某人打喷嚏时）

– ¿Quién es tu jugador favorito?

– 你最喜欢的足球球星是谁?

– ¡Leo Messi, por supuesto!

– 当然是里奥 · 梅西啦!

– ¿Vamos a un concierto de flamenco?

– 一起去听弗拉门戈音乐会吗?

– ¡Claro!

– 当然!

– Me interesa el arte. ¿Y tu?

– 我喜欢艺术，你呢?

hola
hola
hola
hola
hola
hola

美食小菜谱

跟爸爸妈妈一起，做几道简单美味的西班牙美食吧！

西红柿面包

配料：

一个西红柿

一片面包片

特级初榨橄榄油

盐

西红柿切片，面包片在平底锅、烤箱或烤面包机中烤至焦脆，抹上橄榄油，放上西红柿片，最后撒上一点儿盐。

西班牙凉菜汤

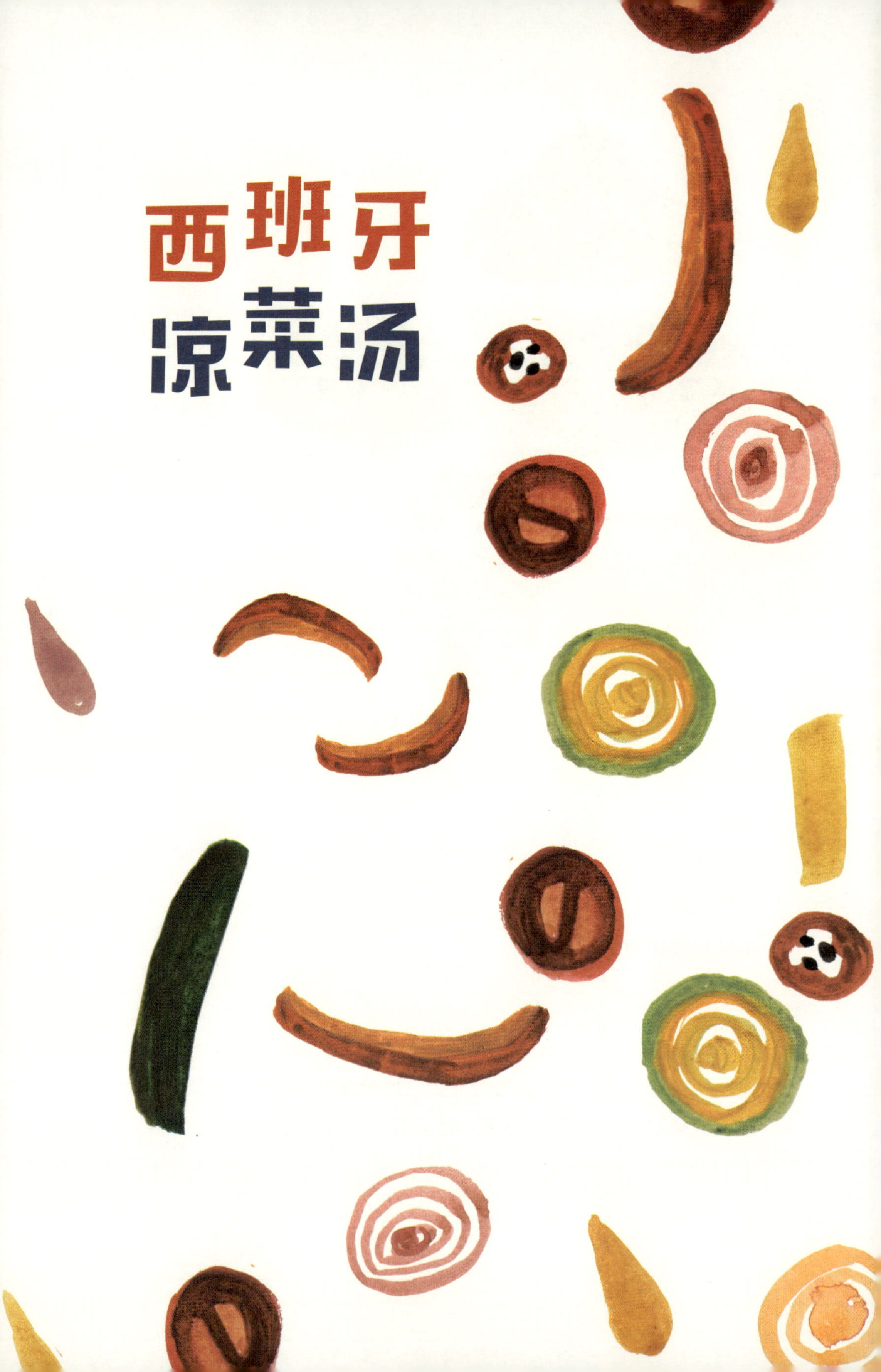

配料：

3 ~ 4 个西红柿

两个洋葱

两个辣椒

一根黄瓜

两瓣蒜

一勺橄榄油

盐

胡椒粉

西红柿汁

西红柿去皮，所有蔬菜切碎，混合，加入盐、胡椒粉和橄榄油拌匀，加入西红柿汁。食用前至少冷却 1 小时。还可以在蔬菜里拌入一两片面包。

盐煎杏仁

配料：

200 克杏仁

细盐

1/3 杯橄榄果渣油或精炼橄榄油

1 匙黄油

在平底锅中加热黄油和橄榄油，将杏仁放进去煎炒约 5 分钟，中间要不断翻动。最后给杏仁裹上一层盐。

当心杏仁烫嘴哟！

蜂蜜抹山羊奶酪

配料：

山羊奶酪（最好是西班牙曼彻格产的）

液体蜂蜜

往盘子里倒进蜂蜜。将奶酪切片，摆进盘子里，让每一片都沾上一点儿蜂蜜。

开始享用吧！

图书在版编目（CIP）数据

好想去旅行．西班牙 /（波）莫妮卡·比恩－康尼格斯曼著；（波）玛利亚·德科绘；黄珊译．-- 北京：中信出版社，2019.7（2022.1重印）

ISBN 978-7-5217-0514-0

Ⅰ．①好… Ⅱ．①莫… ②玛… ③黄… Ⅲ．①世界－概况－儿童读物 ②西班牙－概况－儿童读物 Ⅳ．①K91-49 ②K955.1-49

中国版本图书馆 CIP 数据核字 (2019) 第 082969 号

好想去旅行·西班牙

著　　者：［波兰］莫妮卡·比恩–康尼格斯曼
绘　　者：［波兰］玛利亚·德科
译　　者：黄珊
出版发行：中信出版集团股份有限公司
　　　　（北京市朝阳区惠新东街甲4号富盛大厦2座　邮编　100029）
承 印 者：鹤山雅图仕印刷有限公司

开　　本：787mm × 1092mm　1/16　　印　　张：10.75　　字　　数：150千字
版　　次：2019年7月第1版　　印　　次：2022年1月第2次印刷
京权图字：01–2018–6364
审 图 号：GS（2019）1313号
书　　号：ISBN 978–7–5217–0514–0
定　　价：45.00元

出　　品：中信儿童书店
图书策划：知学园
策划编辑：于姝　　责任编辑：温慧　　营销编辑：隋志萍　张超　常丽娜　李丽萍
封面设计：姜婷　　版式设计：谢佳静　　内文排版：王莹